Si "Monsieur" avait des poches
avec de l'argent dedans, il serait
allé chez un libraire et aurait choisi
ce livre pour l'envoyer à son cher
Copain Charles, qui lui manque
beeeeaucoup, en lui disant:
: Happy Birthday to you!

"Lanicule" 10 août 1996

LES CHATS

Angela Sayer

PML
EDITIONS

Sommaire

Introduction	4-5
Les Chatons	6-19
La vie quotidienne	20-33
Les chats d'exposition	34-47
La vie sauvage	48-60

Ce livre a été conçu et produit par Multimedia Books Ltd
© 1993 PML Editions

Imprimé en Italie

ISBN 2-87628-575-4

A gauche: Deux chats de race Burmese, à la couleur orange et crème assez rare, se reposent d'une longue séance de jeux. Leur robe est légèrement striée sur la face, le dos et la queue, mais tout à fait unie sur le flanc et le ventre.

Photos
Animal Graphics/Solitaire 37 bas, 44, 45 haut, 46, 47 bas **Animal Photography Limited** 14 bas, 30, 31 bas, 33 haut, 40 **Animals Unlimited** 8 haut, 13 haut **Ardea** 13 bas, 18 bas, 23, 50, 51, 52, 53 bas, 54 bas, 56, 57 haut, 58 bas, 59 haut **Bruce Coleman** 10 haut, 16, 17, 18 haut, 41 bas, 45 bas, 54 haut, 55 haut, 58 haut, 59 bas **Eric and David Hosking** 53 haut, 57 bas **The Image Bank** 24, 32 **Frank W. Lane** 55 bas **London Scientific Films Limited** 27 haut **Panther Photographic** 2-3, 6-7, 8 haut, 9, 11 bas, 37 haut, 60 **Rex Features** 20-21, 22 bas **Spectrum Colour Library** 8 bas, 27 bas, 36, 38-39, 42, 43, page de garde début **Tony Stone Photo Library London** 1, 26, 28, 31 haut **Syndication International** 11 haut, 19 **Vision International** 22 haut **ZEFA** 4-5, 10 bas, 12, 14 haut, 15, 25, 29, 33 bas, 34-35, 41 haut, 47 haut, page de garde fin, couverture, dos de couverture

Introduction

La force de survie chez un chat est remarquable ; c'est par ailleurs un chasseur adroit et patient. Ses griffes rétractiles et sa dentition aiguisée sont des armes mortelles qui en font un véritable carnivore. Sa prudence n'a d'égal que son courage et, malgré trois mille ans de domestication, le chat conserve, à fleur de peau, les réactions innées et les instincts sauvages de son ancêtre *Miacis* qui est apparu sur Terre, il y a des millions d'années, à l'ère du dinosaure.

L'attention maternelle
Le chat, adulte très tôt, est prolifique. La chatte peut avoir des portées de deux à six chatons, deux ou trois fois par an, ce qui explique que les populations de chats se soient répandues largement à travers le monde. La chatte est totalement absorbée par l'élevage de ses petits : elle les nourrit, les lave, les surveille consciencieusement à chaque instant. Elle répugne à abandonner ses chatons, ne serait-ce que pour aller manger ou boire, et si un danger les menace, elle se battra jusqu'à la mort pour les protéger.

Même après le sevrage, elle continue à s'occuper de sa famille, apprenant à ses petits tous les jeux d'adresse et les habitudes quotidiennes utiles à l'accomplissement d'une vie heureuse. Les chats domestiques restent avec leur mère jusqu'à l'âge de 12 semaines environ. Quant aux chats semi-sauvages, ils demeurent avec elle généralement quelques mois.

Blessures de guerre
Les mâles sont solitaires de nature et se préoccupent rarement des petits. Cependant, ce sont des bagarreurs forcenés, empressés à défendre leur femelle et les limites de leur territoire. Certains chats semi-sauvages portent souvent les oreilles déchirées et des cicatrices témoins de leurs batailles.

La plupart des chats domestiques sont castrés. Il en résulte un comportement dépourvu de manifestation de mauvais caractère. Ils n'ont plus ces périodes de marquage à l'urine le long de leur territoire, mais conservent néanmoins leurs qualités spécifiques : indépendance, affection, propreté et sociabilité.

A la maison, les chatons procurent de grandes joies. Ce sont de merveilleux compagnons, joueurs et vivants, et leur activité est un spectacle sans cesse renouvelé. Ils sont parfois extrêmement farceurs. Leurs petites griffes tranchantes et leurs dents pointues font des dégâts sur les meubles et les tissus. Ils ne ressemblent pas du tout à l'adulte, qui s'apaise plus rapidement.

Ci-contre : Une des races félines dont la silhouette, la couleur ou le caractère n'ont pas changé depuis des milliers d'années : le chat Européen tigré au poil luisant. Il surveille ici le paysage enneigé, aux aguets, dans l'espoir d'une proie. Notons les marques caractéristiques, presque symétriques, sur le front, les joues, les pattes et la queue.

Les chatons

Pour une chatte, la période de gestation est de 65 jours (on s'aperçoit qu'elle est pleine au bout de 20 jours seulement). Elle donne naissance à une portée de petites boules de fourrure aveugles et sourdes. Au début, les chatons passent leur temps à téter et à dormir, tandis que leurs yeux s'ouvrent progressivement - le troisième ou le quatrième jour pour les races orientales, et du septième au quatorzième jour pour les autres. A trois semaines, ils se tiennent debout et jouent; ils partent en exploration à la quatrième.

Se nourrir

A partir de ce moment, la mère les encourage parfois à partager son menu, et bien qu'ils continuent de téter jusqu'à l'âge de neuf ou dix semaines et même plus, les chatons apprennent vite à absorber de la nourriture solide. Leurs premières dents apparaissent déjà au bout de trois semaines. Tant que les chatons ne boivent que du lait, la mère lèche leurs excréments; dès qu'ils mangeront d'autres aliments, ils auront besoin d'une litière.

Changer de maison

Chez les races domestiques, les chatons sont enlevés à leur mère à l'âge de dix ou douze semaines, alors que la chatte semi-sauvage garde les siens pendant plusieurs mois. Elle partage avec eux la chasse et la recherche de la nourriture, et dort près d'eux en leur offrant sa chaleur. En effet, la dentition du chaton, sa force musculaire et son adresse sont insuffisantes pour une entière indépendance jusqu'à l'âge de six à neuf mois.

Le chaton placé dans un nouveau foyer a besoin de beaucoup d'attentions, d'affection, de chaleur et de possibilités de jeux pour compenser la perte de sa mère et de ses frères et sœurs. Trois ou quatre repas par jour sont nécessaires - toujours au même endroit - et sa robe doit être brossée régulièrement pour conserver toute sa beauté. Les oreilles, les yeux, les dents, les griffes et les poils sont examinés avec soin pour maintenir la propreté et déceler infections et parasites. La vaccination contre les deux maladies redoutables du chat, le typhus et le coryza, est indispensable.

S'il vit en appartement, le chaton doit pouvoir disposer d'une litière toujours propre. Sauf si c'est un chat de race destiné à la reproduction, il doit être castré vers six mois.

A gauche : Une mère Chinchilla, tendre, aimante et attentionnée envers ses chatons. Le Chinchilla est généralement plus petit que les autres races à poil long.

Ci-dessus : Le jeune chat commence à explorer les alentours du nid à partir de trois ou quatre semaines, et à six semaines il devient tout à fait aventureux. Entre les périodes de jeu intense, il se roule sur le dos et se repose. Comme tous les chatons, ce petit tabby (on appelle tabby tous les chats qui ont des dessins sur leur robe), a les yeux bleus qui changeront de teinte au moment du sevrage.

A gauche : La phase d'exploration est parfois dangereuse pour le jeune chat, car il peut s'éloigner de son nid et se retrouver en situation périlleuse. Ce petit chat argenté au poil long vient de découvrir la mare du jardin. Heureusement il a préféré son reflet au plongeon désastreux. A cet âge les jeunes doivent être surveillés.

Ci-dessus : C'est la première sortie d'un trio de chatons
Chinchilla dans un agréable jardin fleuri. Les marques
tabby disparaîtront en grandissant.

A gauche : Ces chatons
Tonkinois de huit semaines, à
côté de leur frère aîné âgé d'un
an, sont le fruit d'un croisement
entre Burmese et Siamois. La
couleur et le caractère de ces
chats sont à mi-chemin entre les
deux races : très expansifs,
affectueux et un peu espiègles.
Le bout des pattes, du nez et de
la queue est sombre mais un
peu moins noir que chez le
Siamois. Leurs yeux sont
généralement gris-bleu.

A gauche : A l'âge de
l'exploration, les chatons
découvrent toutes sortes d'objets
pouvant leur servir de jouets. Le
jeu de la pelote de laine est une
image traditionnelle et
évocatrice. Cependant, il faut
faire attention : les matériaux
utilisés aujourd'hui sont durs et
élastiques. Ils peuvent abîmer
les dents des chats et devenir
dangereux s'ils sont avalés. Il
vaut mieux les mettre hors de
leur portée.

A droite : Il est important que, dès leur jeune âge, les animaux domestiques cohabitent harmonieusement. Attendre trop longtemps serait gênant car ils se supporteraient difficilement. Cependant, il est bon de ne pas les laisser seuls ensemble avant qu'ils se soient acceptés l'un et l'autre.

Ci-dessous : Comme toutes les races himalayennes, le Birman a les yeux bleus. Au début, la teinte est pâle et fonce vers l'âge de six à huit semaines environ. Avec ses pattes caractéristiques gantées de blanc, le Birman est un chat résolument distingué.

Ci-dessus : Pour sa première expédition lointaine, un chaton est toujours à l'affût de nouveautés visuelles, auditives, sensitives, et le moindre abri lui sert de refuge.

Les cercles noirs dessinés autour des yeux de ce petit chat les font paraître plus grands qu'ils ne sont en réalité. La couleur de l'iris change quand il devient adulte.

A droite : Un chaton curieux ne perd aucune occasion de grimper : il escalade arbres et buissons pour avoir un point de vue intéressant sur les alentours.

Ci-dessous : Même lorsque ses petits sont déjà sevrés et qu'ils ont acquis leur indépendance, la chatte prend plaisir à les laisser téter. Cependant, s'ils persistent à le faire, il faut les lui retirer car le processus de sevrage en sera d'autant plus difficile.

A gauche : Jusqu'à ce qu'ils soient sevrés, les chatons s'accomodent généralement bien de la façon dont ils sont traités, pourtant celui-ci a l'air particulièrement mécontent d'avoir été placé dans un bol pour les besoins de la photographie. Les chatons, en effet, préfèrent les matières souples et douces.

Ci-dessous : Ce petit Colorpoint montre ici une attitude défensive : il se tourne de côté vers l'adversaire, les poils de la queue et du corps se hérissent pour avoir l'air le plus féroce possible, et il siffle en manière d'avertissement.

Ci-dessus: Ce chaton tabby et blanc prenant plaisir à son activité sportive sous un soleil printanier, paraît en très bonne santé. Des yeux brillants, une robe propre et luisante et une allure vive sont les attributs d'un petit félin au mieux de sa forme.

Ci-dessus : Pendant le jour, les chatons semi-sauvages jouent ensemble dans un endroit protégé près de leur nid bien caché, tandis que leur mère est partie chasser ou chercher le repas du soir.

16

Ci-dessus : L'instinct de chasse est inhibé chez le très jeune chat ; on peut donc le mettre en compagnie d'animaux et d'oiseaux qui seront plus tard ses proies naturelles. Toutefois il est bon d'exercer une surveillance discrète.

A gauche : Les chatons qui vivent à la campagne, passent leur temps de sevrage à jouer et à gambader autour des granges. Ils apprennent alors les gestes de la chasse qu'ils mettront en pratique sur le terrain une fois adultes. Le comportement de jeu, qui est naturel entre frères et sœurs, développe les muscles et la capacité de coordination des mouvements. Cela les prépare au moment où ils se suffiront à eux-mêmes.

A gauche : Elevés avec des chevaux et des poneys dans une cour de ferme, les chatons apprennent très vite les conduites de prudence à adopter envers ces grands animaux. Les chevaux semblent avoir une certaine affinité avec les chats qui détruisent bon nombre de rats et de souris attirés par les céréales.

Ci-dessus : Trois petits Ragdolls dans un panier. Cette
race s'est développée aux Etats-Unis à la fin des années
60. Leur fourrure est épaisse avec une collerette
abondante. Ce sont des chats qui demandent beaucoup
de soins.

La vie quotidienne

Le squelette du chat et sa disposition musculaire lui assurent flexibilité et agilité, lui permettant de grimper et de sauter admirablement. Il lui est très facile d'atteindre quatre ou cinq fois sa hauteur à partir d'une position couchée et immobile ; s'il est surpris, il bondit à la verticale et atterrit à côté ou derrière son point de départ d'une manière automatique et défensive. Grimper est relativement simple : pour s'agripper, le chat se sert de ses griffes puissantes et recourbées, tandis que les muscles de ses pattes arrière le propulse vers le haut. Sauter de haut en bas est plus délicat et le chat est d'une extrême prudence quand une pente abrupte se présente : il fera deux ou trois étapes pour atténuer la dureté de la chute des pattes avant sur le sol.

Atterrir en sûreté

Redescendre d'un arbre n'est pas facile non plus : les griffes sortent alors dans le mauvais sens et deviennent inutiles. La plupart des chats descendent à l'envers, et quand ils arrivent près du sol, ils sautent en effectuant une volte-face, et atterrissent parfois même sur les quatre pattes.

Pour atterrir en toute sécurité lorsqu'il est obligé de sauter de très haut, le chat dispose du réflexe de redressement : les muscles du cou, de la poitrine, du dos, des flancs et de la queue, lui permettent de tourner sur lui-même et de se poser en douceur. L'impact est amorti par les membres flexibles et la forme en arche de son épine dorsale.

Défense du territoire

Les chats errants, entiers ou castrés, ont des territoires bien à eux qu'ils défendent contre les intrus. Cette défense prend des allures de guerre psychologique : le chat marque à l'odeur les limites de son territoire ; cette odeur provient de glandes situées le long des lèvres, au-dessus des yeux et à la base de la queue, et se répand par frottement de ces parties du corps sur les frontières de son domaine. Les chats mâles pratiquent aussi le jet d'urine.

Les chats évitent généralement les affrontements physiques, mais s'il y en a, intervient alors un langage corporel particulier : d'abord avertir l'intrus, et, si cela ne réussit pas, donner le signal de l'ouverture des hostilités. Lors d'une bataille de chats, le corps à corps est féroce mais la plupart du temps très bref : dents et griffes infligent rapidement des blessures sérieuses et profondes.

A gauche : L'agilité naturelle du chat, et sa perception de l'espace, lui permettent de sauter à la fois haut et loin avec une aisance remarquable, une grâce exceptionnelle et une extrême précision, souvent très au-dessus du sol. La force musculaire de ses pattes arrière lui assure cette puissante détente.

A gauche : Ce très beau Bleu Russe, patrouillant sur son territoire, vient de rencontrer un intrus et donne les premiers signes avant-coureurs de l'agression : ses poils se hérissent, ses oreilles se couchent vers l'arrière tandis qu'il tourne le flanc à son ennemi et commence un sifflement menaçant. Toute cette mise en scène est plus faite pour effrayer l'envahisseur que pour ouvrir de véritables hostilités.

Ci-dessous : Voici une colonie de chats semi-sauvages, réunis à l'endroit où un ami des chats leur apporte régulièrement de la nourriture. Bien que la faim soit égale pour tous, ils se conforment à un comportement social qui leur est propre : c'est le chef qui mange d'abord. Cette suprématie a sans doute été obtenue à la suite d'une bataille rangée.

Ci-dessus : Qu'ils soient de race ou de gouttière, tous les chats sont habiles à l'escalade. C'est un sport qu'ils affectionnent, et, sur l'écorce dure des arbres ils se "font" les griffes. Cela permet de faire tomber les cornes mortes.

Une planche à gratter sera la bienvenue pour un chat d'appartement car cela le dispensera de s'en prendre aux meubles et tapis. Les griffes sont à surveiller ; il est souhaitable de les couper avec une pince "à guillotine".

Ci-dessus : Ce chat moucheté, apparemment bien nourri, semble fasciné par l'oiseau dans la cage, et essaie peut-être de se l'accaparer. Le chat apprend à chasser, et s'il y a d'autres animaux fragiles à la maison ils doivent être mis en sûreté. En effet, les chats domestiques ne perdent jamais leur instinct de chasseur.

Ci-dessus : Ces petits tabby semblent avoir aperçu une proie. La traque commence : on suit l'animal à pas furtifs, le regard fixé sur lui, puis après quelques mètres, l'allure s'accélère et brusquement on bondit, sortant dents et griffes prêt à saisir la malheureuse victime.
Contrairement à la croyance populaire, le chat ne tue pas forcément pour manger mais par instinct.

Ci-dessus : Les chats grimpent aux arbres pour chasser les oiseaux, échapper à leurs ennemis et gagner un observatoire d'où ils peuvent scruter leur terrain de chasse.

A droite : Cette image est typique de l'attitude d'un chat effrayé et acculé : la tête rentrée dans les épaules pour protéger la gorge, les oreilles fortement tirées en arrière sur le crâne, les yeux plissés pour éviter les blessures ; les dents sont projetées vers l'avant dans un rictus féroce et sifflant. Un grognement menaçant accompagne ces mimiques, même si l'animal est terrifié.

Ci-dessous : Tous les chats aiment s'enfouir dans des objets visiblement trop étroits pour les contenir et si, de surcroît, ces objets crissent ou grincent, alors c'est la fête ! C'est un sac en papier tout froissé et bruissant qui fait la joie de ce chaton qui peut à peine s'y glisser.

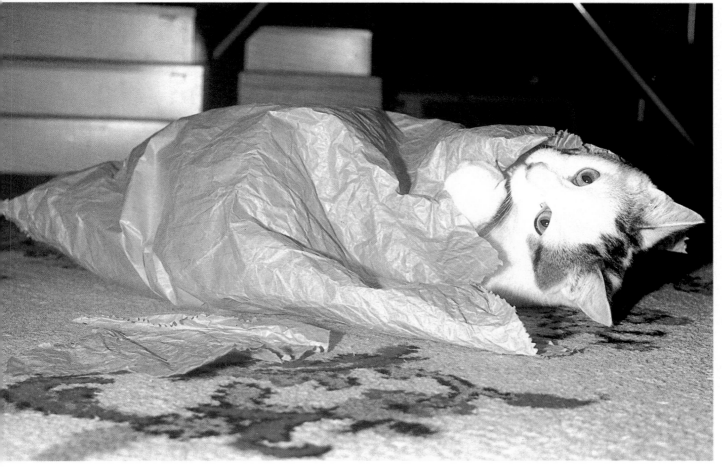

27

Ci-dessus : Les branches astucieusement espacées de ce
pin servent d'échelle à ce petit chat blanc qui tente, en
vain, d'attraper un nid plein d'oisillons fraîchement éclos.

Ci-dessus : La perception des couleurs chez les animaux est différente de la nôtre : le roux, l'orange ou le vert leur apparaissent gris. C'est pourquoi ce joli chat tabby est naturellement à l'abri du regard d'éventuels ennemis.

Ci-dessus : C'est avec un réel plaisir qu'un chat en liberté, de race ou non, passe une grande partie de son temps à explorer son territoire, reniflant les plantes, à la recherche des odeurs de ses congénères. L'odorat est très développé chez les félins et joue un rôle important dans l'identification sexuelle et le marquage du territoire.

A droite : Les chats campagnards sont généralement élevés en même temps que les autres animaux avec lesquels ils apprennent à cohabiter leur vie durant. Il est très important qu'ils reconnaissent les amis des ennemis. Ce chat roux, à l'aise et en bonne compagnie avec le coq, attaquerait sans crainte un oiseau sauvage de même taille.

Ci-dessous : Ces chatons blancs au poil court vivront vraisemblablement en bonne intelligence avec le cochon d'Inde ; ils s'initient de bonne heure aux relations amicales. Le cochon d'Inde n'a pas peur des chats et n'essaierait pas de s'enfuir si par hasard l'un d'eux le pourchassait. C'est pourquoi, à ce stade, une légère surveillance est nécessaire.

Ci-dessus : De nombreux écrivains ont possédé des petits félins : Colette, Léautaud ou Carco. Il est vrai que les chats adorent venir s'asseoir au milieu des papiers et des livres. Mais de là à s'installer dans la machine à écrire !

A droite : Les chiens et les chats, s'ils sont élevés ensemble, peuvent, par la suite, devenir des amis inséparables : ils dorment, jouent, gambadent ensemble, partagent le meilleur fauteuil et mangent parfois dans le même plat. Pendant le développement de cette relation chien-chat, le maître doit leur accorder une égale attention.

Ci-dessous : Le plus souvent, le chat passe ses moments de repos à dormir et il peut tomber dans le sommeil le plus profond, très rapidement, et n'importe où. Ce beau chat tigré est surpris en pleine sieste, bien caché au milieu des fleurs et protégé par le feuillage.

Les chats d'exposition

Les chats possédant un pedigree forment deux familles principales : dans la première on trouve le type trappu à forte ossature, avec une tête ronde et de grands yeux ronds, un bout de nez et de petites oreilles dressées. La seconde présente des individus plus fins, longilignes, élégants et souples ; ce type porte une tête allongée, les yeux en amande ou à l'orientale, un long nez et de grandes oreilles pointues. Il y a également deux robes de base : celle à poil long et flottant ou celle à poil court et fin. Seules certaines races particulières portent des robes frisées

Chats à poil long, chats à poil court

Robe longue et épaisse associée à un corps bien charpenté : nous avons affaire à un Persan ou Poil Long ; c'est leur couleur qui les distingue les uns des autres : Persan noir, Persan bleu, etc...

Les chats à la robe rase et au corps également trappu, sont appelés Poil Court ; selon leur pays d'origine et certains traits mis en valeur par les éleveurs, ils sont classés en British, Américains, Européens ou Exotiques. Certaines mutations naturelles chez les Poil Court donnent naissance, par exemple, au Chat sans Queue de l'Ile de Man (Manx cat), ou au Scottish Fold, aux oreilles repliées.

Les orientaux

Les chats à l'allure extrêmement allongée, à la robe très fine, sont appelés Orientaux à poil court. Ce groupe comprend bien sûr les Siamois renommés pour leurs yeux bleus et leur corps aux extrémités (nez, pattes, queue) de teinte plus sombre que la robe. C'est ce qu'on appelle "point" : blue point, chocolate point. La robe de ces chats présente une grande variété dans les couleurs et les dessins : tachetée, mouchetée, rayée. Certaines robes sont argentées.

Les chats moins longilignes et à la robe plus épaisse s'appellent Foreign à poil court. Dans ce type nous trouvons l'Abyssin, le Burmese, le Korat et le Bleu Russe. Le Somalien, le Balinais, le Chat de Turquie, l'Angora et le Birman ont le même corps allongé mais leur robe porte un poil plus long.

Chats à la robe frisée

Deux principales races à robe frisée sont admises dans les expositions : le Rex Cornish et le Rex Devon. Bien qu'ils aient été découverts dans deux régions proches en Angleterre vers les années 50 et 60, leur texture de robe différente provient de deux gènes spécifiques : ce sont donc deux races distinctes.

A gauche : Ce magnifique Persan fumé se promène dans un jardin enneigé, bien isolé du froid par sa fourrure soyeuse. Les yeux cuivrés sont caractéristiques de cette race.

Ci-dessus : Les Persans, comme ce blanc aux yeux orange, ont la face et les yeux ronds, un nez aplati, un menton fort, et de petites oreilles écartées. La collerette de poils longs est également particulière à cette race.

A droite : Voici deux chats qui se ressemblent mais ils sont de races différentes. A gauche, un Colorpoint bleu, c'est-à-dire un vrai Persan avec les marques du Siamois et les yeux bleus caractéristiques. A droite est assis un Persan Chinchilla dont chaque poil de la robe est légèrement piqué de noir, ce qui donne un reflet argenté.

A droite : En Cornouailles (Angleterre) naissait, dans les années 50, un curieux chat, fruit de l'union d'un père inconnu et d'une femelle de type européen. Depuis ces étranges débuts, s'est développée la race Cornish Rex. Ces chats élégants, à la robe frisée, sont très appréciés dans le monde entier et dans toutes les variétés de couleurs et de dessins.

Ci-dessus : Ces deux chats sont de types opposés : à gauche un Foreign lilas aux yeux verts, longiligne et élégant. A droite, un Persan bleu crème, rond et massif aux yeux orange clair.

A droite : Ce Siamois Blue Point à la robe lilas et aux yeux bleu saphir est caractéristique de cette race. Les Siamois sont des animaux nerveux et sensibles, très attachés à leur maître. Lors des expositions, les juges sont extrêmement pointilleux sur le standard des yeux des Siamois, car ceux-ci ont une tendance au strabisme.

A gauche : Un Siamois Seal Point en plein exercice au jardin. Connu à l'origine comme le Chat Royal du Siam, il fut introduit en Europe au XIXe siècle. Malgré la fragilité de ses premiers spécimens, il devint vite populaire.

A droite : L'Oriental est un Siamois blanc sans marques colorées aux extrémités. Aux expositions, il doit être conforme au standard du Siamois avec une couleur d'yeux intense. C'est un chat affectueux, vif et intelligent.

Ci-dessus : Ce Persan Ecaille-de-tortue porte des taches vives, noires et rousses. Une touche orange sur le nez est appréciée par les juges dans les expositions.

Ci-dessus : La robe blanche frisée de ce Devon Rex est
particulière à cette race assez peu répandue. C'est un chat
amusant et intelligent. Cette race fut reconnue par la
Fédération internationale féline d'Europe (F.I.F.E.) en 1967.

Ci-dessus : L'Abyssin semble appartenir à la plus ancienne race féline, bien que son histoire soit encore obscure. Il y a trois types d'Abyssin : le lièvre, que nous voyons ici, le roux et le bleu. Il ne doit avoir aucune marque blanche sauf celle du menton qui est acceptée.

A droite : Lors des concours, les juges examinent chaque animal. Celui-ci doit être conforme au standard qui décrit précisément la morphologie, la couleur des yeux et de la robe, la texture du poil. Le standard prend aussi en compte la taille et la forme physique de l'animal qui doit être évidemment en bonne santé.

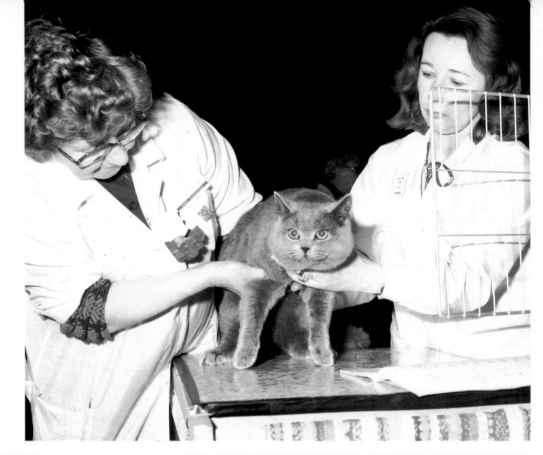

Ci-dessous : Les Persans à la robe unie présentent une large palette de couleurs : noir, bleu, chocolat, lilas, roux crème et blanc. Les robes blanches sont associées à trois différentes teintes d'yeux : cuivre, bleu et curieusement certains chats ont un œil bleu et l'autre orange.

45

Ci-dessus : Une des plus étonnantes robes de Persan est celle du Tabby argenté : le sous-poil est de la teinte de l'argent avec des marques tabby noir. Le mélange de ces deux couleurs est toujours du plus bel effet. Les yeux sont verts ou noisette.

A *droite* : Ce petit chat est un Persan bicolore. La robe allie une couleur franche avec du blanc. La couleur doit occuper les deux tiers de la robe mais pas plus. La symétrie des taches est appréciée des juges mais celui-ci, avec sa tache blanche sur le nez, ne serait sans doute pas refusé.

A *droite* : Ce Persan Colorpoint, ou Himalayen de teinte crème, est un vrai Persan aux marques de Siamois. Il est le résultat de croisements judicieux et d'une sélection délicate jusqu'à l'obtention définitive de la variété souhaitée. Tous les chats Himalayens ont les yeux bleus.

La vie sauvage

Tous les chats appartiennent au même sous-ordre de la famille des carnivores qui se divise en trois groupes : *Felis, Panthera* et *Acinonyx. Felis* et *Panthera* sont subdivisés en espèces, tandis qu'*Acinonyx* ne comprend qu'un seul individu : le Guépard.

Il existe 31 espèces du genre *Felis*, mais parmi celles-ci, seul *Felis catus,* le chat domestique, est répandu à travers le monde, compagnon de l'homme dans ses explorations.

Erosion de l'environnement
Tous les membres de la famille des félins sont bien armés pour survivre dans le cours normal de l'évolution du temps ; cependant certaines espèces ont disparu, ou sont en voie de disparition. L'avidité et l'insouciance de l'homme en sont la cause.

Les chats les plus exposés sont ceux à la belle robe tachetée, très appréciée sur le marché de la fourrure.

D'autres espèces sont menacées lorsque leur habitat naturel est détruit, et que leur domaine est rendu à l'usage de l'homme. Leurs proies quotidiennes disparaissent, ils perdent leur couvert habituel, et ainsi, petit à petit, leur environnement se dégrade. Certains spécimens sont abattus, d'autres émigrent sur des territoires étrangers, contraints d'y vivre en solitaires ; l'espèce est alors condamnée.

L'usage des pesticides est également responsable de cette situation. On les trouve au début de la chaîne alimentaire ; ils contaminent progressivement les animaux, réduisant leur puissance reproductrice : les portées deviennent de moins en moins nombreuses.

Chats d'Afrique, d'Asie, d'Amérique et d'Europe
Les beaux chats d'Afrique parmi lesquels on peut citer le Chat doré d'Afrique, le Chat à pieds noirs et le Serval sont aussi en danger. Quelques espèces ont émigré en Asie tels le Chat des sables, le Caracal et le Chat des marais.

En Asie on rencontre le Chat Bai, le Chat viverrin, le Chat à tête plate, le Chat d'Iriomote, le Chat marbré, le Manul, le Chat rouilleux et le Chat doré d'Asie. Les Amériques ont accueilli le Chat de Geoffroy, le Jaguarondi, le Kodkod, le Margay, le Chat des Andes, le Chat des Pampas, le Puma et le Tigrillo. Plus près de nous, en Europe, vit le Lynx, principalement en Scandinavie et en Pologne. En France, le Chat sauvage d'Europe ou Chat forestier se rencontre dans les Vosges.

A gauche : L'Ocelot, l'un des plus beaux spécimens félins, est en voie de disparition car il a été chassé pour sa superbe fourrure tachetée.

Ci-dessus : Le Guépard forme à lui seul une classe à part car ses griffes ne sont que partiellement rétractiles, bien qu'il ronronne comme les chats sauvages plus petits que lui. Ici une scène familière au bord d'une mare.

Ci-dessus : La fourrure du Lynx est très épaisse l'hiver.
C'est un chasseur redoutable qui réussit à survivre dans
un univers dénudé et hostile. Longtemps cantonné dans
le Grand Nord, il fut réintroduit en France en 1972.

Ci-dessus : Le Margay, chat sauvage tacheté, vit en
Amérique du Sud et ressemble beaucoup à l'Ocelot. Ce
grimpeur habile élit domicile dans les forêts. Il chasse
dans les arbres, se nourrissant d'oiseaux et de lézards. Les
chasseurs de fourrure l'ont décimé lui aussi.

A *droite :* Le chat forestier ou chat sauvage d'Europe, est parfois confondu avec le chat haret. Il est cependant beaucoup plus gros, et sa queue annelée est plus large. En France il vit principalement dans l'Est et le Massif Central. Il se nourrit d'oiseaux, de lapins et d'autres petits mammifères.

Ci-dessous : Le Guépard est l'animal le plus rapide sur une courte distance. Il terrasse facilement sa proie qu'il tue par étranglation. Ce n'est sans doute pas la mère zèbre que convoite le guépard de cette photo, mais le poulain qu'elle devait tenter de protéger. Le guépard en effet ne s'attaque pas aux zèbres adultes habituellement.

A gauche : Découvert dans la région du Congo, le Chat doré d'Afrique est le plus rare de tous les félins sauvages. Il vit dans les zones forestières d'Afrique. Il chasse la nuit, au crépuscule ou à l'aube, et se nourrit d'oiseaux et de petits mammifères.

Ci-dessous : Ce petit Guépard est en train de muer : ses longs poils gris-bleu et laineux laissent place à sa belle robe mouchetée d'animal adulte. Ce duvet le protégeait des regards ennemis pendant que sa mère chassait. C'est vers l'âge de dix semaines que ce manteau commence à disparaître, et vers trois mois que la nouvelle tenue est prête.

A droite : Ce chat sauvage ressemble
étonnamment à un Abyssin lièvre. L'Abyssin était
vénéré en Egypte ancienne, et c'est avec le Chat
fauve africain que les mêmes Egyptiens chassaient
les oiseaux au bord du Nil.

Ci-dessous : Le Manul ou Chat de Pallas est
différent du chat domestique par ses yeux dont la
pupille figure un fuseau très renflé. Ses oreilles
sont également plus petites et plus arrondies. C'est
en hiver que sa fourrure est aussi grise et peu
rayée que sur cette photo. Son habitat naturel est
l'Asie Centrale.

Ci-dessus : Sur les bords d'une rivière, au Venezuela,
ce jeune Ocelot se désaltère. Pendant le jour il se tient
généralement caché dans la forêt.

56

Ci-dessus : Ce couple d'Ocelots vit en Arizona dans le *Desert Sonora Museum.* Ils sont dans un environnement propice à encourager leur comportement naturel et une reproduction régulière. De tels couples permettent de reconstituer et de préserver une espèce en voie d'extinction.

A droite : Le Léopard est l'espèce la plus courante de chats sauvages vivant en Asie du Sud. Son habitat naturel est la forêt et la jungle, à différentes altitudes, des plaines aux montagnes élevées. C'est un animal solitaire chassant principalement la nuit. Ses proies sont les petits mammifères, les jeunes daims, les poissons et les reptiles.

A gauche : Le Chat marbré, devenu rare, ne sort que la nuit. Il fut découvert dans les forêts profondes du Népal et à Sumatra. Il est un peu plus gros que le chat domestique et plus haut sur pattes. Il a les yeux ronds et une longue queue épaisse et touffue. Sa robe, aux marbrures brun foncé, rappelle celle de la panthère longibande.

Ci-dessous : Le Margay, chat sauvage sylvestre vivant au Paraguay et en Argentine, est souvent confondu avec l'Ocelot. Cependant la tête est plus courte, la pointe noire de sa queue moins effilée porte une petite touffe de poils clairs. C'est un excellent grimpeur.

A droite : Le Chat forestier ou Chat sauvage d'Europe est grand, massif et presque impossible à apprivoiser. Impitoyablement chassé au siècle dernier, il a fait récemment une nouvelle apparition. Il en existe une petite colonie en Ecosse.

Ci-dessous : En Argentine, le Chat des pampas, à peu près de la même taille que le Chat forestier, est un chasseur acharné. Son activité se déroule la nuit. Les teintes de sa robe sont très variables : du blanc jaunâtre au gris, avec des stries brunes ou jaunes sur les flancs, et quelques taches éparpillées.

Ci-dessus : Ce jeune serval, très élégant, est un chat très répandu dans toute l'Afrique. Il fréquente de préférence la savane humide et affectionne les cours d'eau. Ses proies favorites sont les lièvres, les petites antilopes, les rongeurs et les oiseaux. Haut sur pattes, il porte une robe tachetée. De larges oreilles surmontent une tête étroite.

Dos de couverture : Un exemple de chat roux domestique.

Page de garde fin : Ces petits chats roux à poil long ont de grands yeux cuivrés et de petites oreilles pointues caractéristiques.